JN061859

啊!!

$$\pi = \frac{4}{\sqrt{\varphi}}$$

$$\pi = 3.1446\cdots$$

这是真的?!

初中生数学水平都能看懂的
π计算新方法的提案

修订版

Umeniuguisu 著

BookWay

致首次阅读本书的全体读者

　　这本书内容具有专业性，因此或许更适合发表在某家"学会"上。但之所以没有这样做，或者说没能这样做，概因我既不是数学家也不是科学家，甚至不是某家企业的技术人员。我只不过是靠体力劳动来换取口粮在日本生活的一介手工匠而已。但是我对宇宙非常感兴趣。我的数学知识只有高中毕业水平。大家读完这本书就会知道，书里只用到了初中生水平的数学。日本初中为止都是义务教育，所以我想不仅是拥有高水平数学知识的数学家、科学家或是企业里的技术人员，居住在日本的广大民众都能够读懂这本书。这是我写这本书的一大理由和意义所在。因此我在写其中内容的时候尽量为那些缺乏数学知识的读者着想，也希望拥有高水平数学知识的读者能够体谅。

　　我想除非您讨厌数学，否则只要您翻开这本书，就多少会对书里的内容有所兴趣。如您所见，这本书不算厚。您不必像斗牛犬般地紧皱眉头挑战"难题"，希望您能以放松地享受"数学午茶时间"般的心情，从书里有关 π 的提案中收获愉悦。

作者　Umeniuguisu

※译者注：在日本，中学生为 13～15 岁。

目 录

第1章 从圆（π）和五角星（φ）开始

在开始阅读本书前，请大家先看下面这张图。

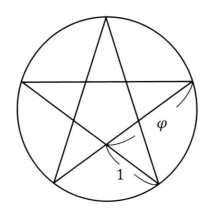

　　大家一定在哪里看到过这张图。这是圆的内接"五角星"。您知道吗，这张图里藏着许多黄金比例φ（斐）。图里只写了其中的一个例子。这本书的目的并非要弄清"圆的内接五角星"里藏着多少个φ（斐）。有兴趣的读者可以看书或从互联网上了解相关知识。特别是在互联网上可以方便地获取许多知识。

我想通过这张图说明的是：藏着大量黄金比例 φ（斐）的这张星形图"完美地内接在一个圆内"。对我来说这是能够推测出圆周率 π 与黄金比例 φ 两者之间存在关联的一大理由。由此我开始研究 π 与 φ 的关系。在写这本书之前，我已研究此道 4 年半左右。这较数学家们几千年的历史来说微不足道，但对我来说是相当漫长的一段时光。

在进入正题之前我还要说一件事。作为一个数学能力只有高中水平（大学读的是经济学科）的人，我注重以下三点。

1. 尽量使用简单（simple）的数字
2. 尽量不使用复杂难懂的公式
3. 如果计算受阻，不去深究

注重这三点的目的是不要让我的大脑被数字和公式冲昏。除此之外还有另一个理由。下面这个公式想必很多人都知道，我们来回顾一下。

$$E = mc^2$$

这是阿尔伯特·爱因斯坦发表的公式。多么简单（simple）又美妙的公式！表达圆周率 π 和黄金比例 φ 关系的公式也应当是如此简单（simple）又美妙吧？从"圆的内接五角星"中完全可以想到这一点。经过多次计算失败，我决定不再强求，希望能在自己的数学能力范围内阐明这一点。数学水平高的人另当别论，如果您在读这本书的时候有不明白的地方，建议您可以请教别人或稍事休息再读。

下面进入正题……

※由于优先考虑文字、数字和图的视觉清晰性，本书中的图的比例只是近似，并不精确。敬请注意。

第2章 求 π（派）与 φ（斐）的关系式

对我来说，最大的问题是如何得到圆周率 π（派）与黄金比例 φ（斐）的关系式或找到关系图。

啊！"圆的内接五角星"已经有了？

当然，开始的时候我也试图从这张图中找出 π 与 φ 的关系，但是如果使用三角函数 sin（正弦）、cos（余弦）和 tan（正切），那么公式和计算就会变得复杂，令我头昏脑涨，所以我放弃了这种想法。这说明以我的数学水平无法找到关系式，并不是否认数学水平高的人有此可能。我还尝试利用各种图形进行挑战，但都是无果而终。再经过多番思考之后终于从下面这张图中发现了寻找关系的方法。这是用图来画出黄金比例 φ（斐）的过程的延伸。下面这张图表示 φ，如果您对此已有所了解，也请您能耐心地看下去。

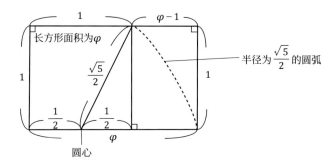

长方形面积为φ

半径为$\dfrac{\sqrt{5}}{2}$的圆弧

圆心

求φ值的方法有多种，本书的目的并非对此一一说明，因此我在此举出我觉得比较容易懂的方法。

根据上图……

$$\text{黄金比例}\,\varphi\,（斐）=\frac{1+\sqrt{5}}{2}=1.61803398874\cdots\cdots$$

为了从上图中进一步得到π与φ的关系式，作图如下。画一个与面积φ的长方形"面积相同的正方形"。画这个正方形是关键所在。

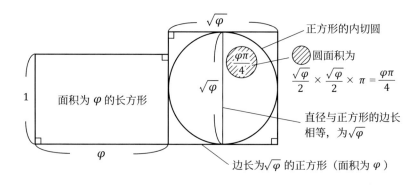

正方形的内切圆

圆面积为

$$\frac{\sqrt{\varphi}}{2}\times\frac{\sqrt{\varphi}}{2}\times\pi=\frac{\varphi\pi}{4}$$

面积为φ的长方形

直径与正方形的边长相等，为$\sqrt{\varphi}$

边长为$\sqrt{\varphi}$的正方形（面积为φ）

出现了 $\frac{\varphi\pi}{4}$ 这个与 π 和 φ 有关的值，进而为了得到关系式，画下面这样同样的图。

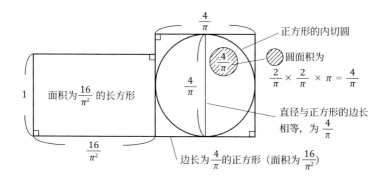

边长为 $\frac{4}{\pi}$ 的正方形（面积为 $\frac{16}{\pi^2}$）

啊！为什么会出现 $\frac{4}{\pi}$？

这是因为有下面三个理由。（虽然除了这三个之外还有其他理由，但是由于会变得复杂，所以本书中不做介绍。）

1．第一个理由是 $\frac{4}{\pi}$ 这个值。假设 π≈3.14，请大家来比较一下 $\sqrt{\varphi}$ 和 $\frac{4}{\pi}$ 这两个值。（※≈符号的含义是"约等于"。）

$$\frac{4}{\pi} \approx 1.27388535031\cdots\cdots$$
$$\sqrt{\varphi} = 1.27201964951\cdots\cdots$$

这两个值极其近似。这是第一个理由。

2．第二个理由是 $\frac{4}{\pi}$ 所具有的特殊性质。请看下面这张图及其关系值。

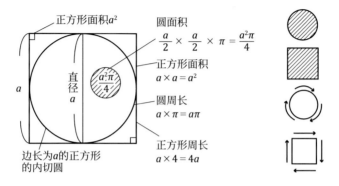

观察这些值，您有什么发现吗？

请您将圆的面积和圆周长分别乘以 $\frac{4}{\pi}$ 。

$$\frac{a^2\pi}{4} \times \frac{4}{\pi} = a^2 \cdots \cdots \text{该值与正方形的面积相等。}$$

$$a\pi \times \frac{4}{\pi} = 4a \cdots \cdots \text{该值与正方形的周长相等。}$$

您看出来了吗？所有正方形无论大小，其内切圆的面积和圆周长分别乘以 $\frac{4}{\pi}$ ，就分别等于正方形的面积和周长。$\frac{4}{\pi}$ 具有特殊性，这就是第二个理由。

$\frac{4}{\pi}$ 的这种性质，对阐明圆周率 π 与黄金比例 φ 的关系非常有用，甚至可以说只有利用这种性质才能阐明其中关系。这一点在后面的计算中也会用到，所以建议大家先记住它。

3．第三个理由还是 $\frac{4}{\pi}$ 所具有的特殊性。

这一特殊性我将留到最后透露。它隐藏在极其不易被人发现之处。这种性质对推测 $\sqrt{\varphi}$ 与 $\frac{4}{\pi}$ 不是"极其接近的值"而是"完全相同的值"非常有用。

各位好奇心旺盛的初中生同学们，可不要急着翻书找答案哟！　这本书页数很少，所以请大家耐心按顺序看下去吧。（笑）

为了寻找 π 与 φ 的关系，我想了个点子，于是有了下面这张图。

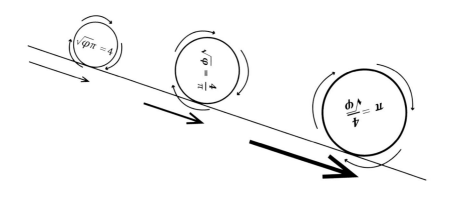

休息一会儿吧！

我在前面画过两张图，一张是面积为 φ（斐）的长方形和正方形，另一张是面积为 $\frac{16}{\pi^2}$ 的长方形和正方形。但是未能从这两张图中得到体现 π 与 φ 关系的重要公式。

经过在研究中多次失败反复摸索，我发现要弄清 π 与 φ 的关系，除了前面这两张图之外还需要一张图。它与前面这两张图很像，但这张图的关键之处是含有未知数 x 和假设圆面积为 $\sqrt{\varphi}$。这张图如下所示。

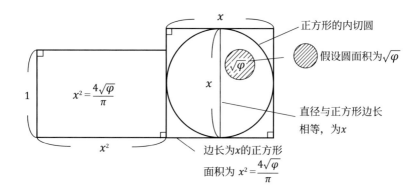

如图所示，"有意将圆面积设定为 $\sqrt{\varphi}$"。

啊！为什么要将圆面积设定为 $\sqrt{\varphi}$？

其中有两个理由。

1. 一个理由是数值中带有 $\sqrt{\varphi}$。请大家来比较一下前面两张图中的圆面积。与刚才同样，我们按 $\pi \approx 3.14$ 来计算一下。

$$\begin{cases} \dfrac{\varphi\pi}{4} \approx 1.2701 \quad \cdots\cdots （边长为 \sqrt{\varphi} 的图中的圆面积） \\ \dfrac{4}{\pi} \approx 1.2738 \quad \cdots\cdots （边长为 \dfrac{4}{\pi} 的图中的圆面积） \end{cases}$$

$$\sqrt{\varphi} = 1.2720 \quad \cdots\cdots （边长为 x 的图中的圆面积）$$

比较这三个值可知，此三者极其近似。这就是第一个理由。

2．第二个理由是将此圆面积设定为 $\sqrt{\varphi}$，是正确求出未知数 x 值的关键，对弄清圆周率 π 与黄金比例 φ 的关系至关重要。其中隐含着的重大意义，与前面第 11 页中的第三个理由有很大关系。所以我想通过下面的说明，让本书的读者们到最后能够豁然开朗。

下面为了便于说明，我们将前面得到的三张图整理后重新展示一下。各图分别称为 A．B．C．，各图的等式分为称为 a.b.c.d.，与以下符号相对应。

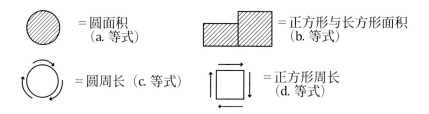

整理后如下所示。

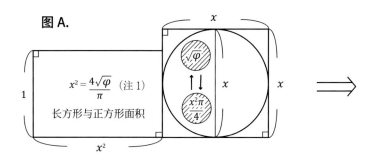

图 A.

$$x^2 = \frac{4\sqrt{\varphi}}{\pi}$$ （注 1）

长方形与正方形面积

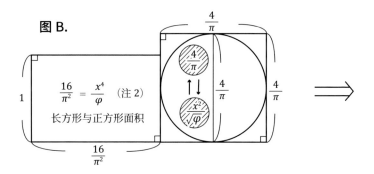

图 B.

$$\frac{16}{\pi^2} = \frac{x^4}{\varphi}$$ （注 2）

长方形与正方形面积

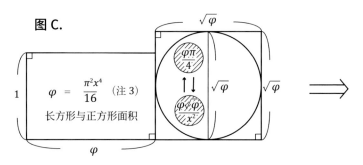

图 C.

$$\varphi = \frac{\pi^2 x^4}{16}$$ （注 3）

长方形与正方形面积

※各图的边长和比例只是近似，并不精确。

注 1 圆面积乘以 $\frac{4}{\pi}$，即正方形（＝长方形）面积。

注 2 可根据 B.a. 等式计算而得。

注 3 可根据 B.b. 等式计算而得。

14

等式 A.a.　$\dfrac{x^2\pi}{4}=\sqrt{\varphi}$　　（圆面积）

〃　A.b.　$x^2=\dfrac{4\sqrt{\varphi}}{\pi}$　　（正方形和长方形面积）

〃　A.c.　$x\pi=\dfrac{4\sqrt{\varphi}}{x}$　　（圆周长）

〃　A.d.　$\dfrac{16\sqrt{\varphi}}{x\pi}=4x$　　（正方形周长）

等式 B.a.　$\dfrac{4}{\pi}=\dfrac{x^2}{\sqrt{\varphi}}$　　（圆面积）

〃　B.b.　$\dfrac{16}{\pi^2}=\dfrac{x^4}{\varphi}$　　（正方形和长方形面积）

〃　B.c.　$\dfrac{x^2\pi}{\sqrt{\varphi}}=4$　　（圆周长）

〃　B.d.　$\dfrac{4x^2}{\sqrt{\varphi}}=\dfrac{16}{\pi}$　　（正方形周长）

等式 C.a.　$\dfrac{\varphi\pi}{4}=\dfrac{\varphi\sqrt{\varphi}}{x^2}$　　（圆面积）

〃　C.b.　$\varphi=\dfrac{\pi^2x^4}{16}$　　（正方形和长方形面积）

〃　C.c.　$\sqrt{\varphi}\,\pi=\dfrac{4\varphi}{x^2}$　　（圆周长）

〃　C.d.　$x^2\pi=4\sqrt{\varphi}$　　（正方形周长）

※所有等式可根据 A.b. 式计算而得。

※作为参考，按 $\pi\approx3.14$ 计算，得到 $\dfrac{4}{\pi}\approx1.2738$、$\sqrt{\varphi}\approx1.2720$、$x\approx1.2729$，可知**图 A.B.C.** 的边长为"极其近似的值"。

第3章 从关系式中推出 $\dfrac{4}{\pi} = \sqrt{\varphi}$

在第 2 章里，我们已经充分得到了圆周率 π（派）与黄金比例 φ（斐）的关系式。下面我想要弄清 π 与 φ 的关系。

我想请读者们仔细观察**图A. B. C.**这三张图及其关系式。有没有什么发现？……。

再来看一遍。要花点时间仔细观察……。

啊！什么都没发现？

> 我们的注意力容易被未知数 x 吸引，但实际要关注之处是 $\sqrt{\varphi}$。$\sqrt{\varphi}$ 在各等式中有着什么样的作用，或者说它起到作用了吗？……这一点是值得关注之处。

请看**图 A.**。内切圆面积乘以 $\dfrac{4}{\pi}$，就是正方形面积。（※这一点在第 10 页已有说明。）请大家在这个式子里用极其近似值 $\sqrt{\varphi}$ 来代替 $\dfrac{4}{\pi}$ 进行相乘。这样一来就刚好与**图 C.**中的正方形面积相等。接着请大家试着用**图 B.**中的圆面积和圆周长乘以 $\sqrt{\varphi}$，可以发现所得值分别等于**图 A.** 中的正方形面积和**图 C.** 中的正方形周长。乘以 $\dfrac{4}{\pi}$ 分别可得圆的外接正方形的面积和周长，而乘以 $\sqrt{\varphi}$ 则等于"其他图"的正方形的面积和周长。

x、$\dfrac{4}{\pi}$ 和 $\sqrt{\varphi}$ 是"极其近似值"，所以这个结果纯属"偶然"吗？为什么会发生这种"偶然"，大家不觉得很神奇吗？

有没有一种可能，$\dfrac{4}{\pi}$ 和 $\sqrt{\varphi}$
不是"极其近似值"，而是"完全等值"？

我希望大家注意到，在刚才的说明中，如果将**图 B.** 中的圆面积和圆周长分别乘以 $\sqrt{\varphi}$ 而不是 $\dfrac{4}{\pi}$ 的话，就会分别同时等于**图 A.** 和**图 C.** 中的正方形。为了弄清 $\dfrac{4}{\pi}$ 与 $\sqrt{\varphi}$ 的关系，这是一条极其重要的线索。我想通过计算验证来证明这件事不是"偶然"而是"必然"。为了便于说明清楚，请看下面这张**图 B.** 的圆部分。

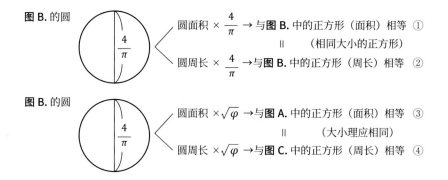

图 B. 的圆 | 圆面积 × $\frac{4}{\pi}$ →与**图 B.** 中的正方形（面积）相等 ①
= （相同大小的正方形）
圆周长 × $\frac{4}{\pi}$ →与**图 B.** 中的正方形（周长）相等 ②

图 B. 的圆 | 圆面积 × $\sqrt{\varphi}$ →与**图 A.** 中的正方形（面积）相等 ③
= （大小理应相同）
圆周长 × $\sqrt{\varphi}$ →与**图 C.** 中的正方形（周长）相等 ④

　　如您所见，如果乘以 $\frac{4}{\pi}$ 的"极其近似值" $\sqrt{\varphi}$，则分别等于**图 A.** 和**图 C.** 中的正方形。即使假设大小与**图 B.** 中的正方形不同，但因为用相同大小的圆乘以相同的 $\sqrt{\varphi}$，所以即使③和④的面积和周长值不同，也会"按照①与②的关系得到相同大小的正方形"。（……这是至关重要之处。大家能理解我的说明吗？）

　　从中可以推测，**图 A.** 与**图 C.** 中的正方形"大小相同"。这意味着 x 与 $\sqrt{\varphi}$ 相等，而后也可推导出 $\sqrt{\varphi}$ 与 $\frac{4}{\pi}$ 相等。所以接下来，我想如前所述通过计算验证来确认 x、$\sqrt{\varphi}$、$\frac{4}{\pi}$ 相等。因为这样从数学意义上单以"大小应该相同"不足以证明这个观点。

　　为了验证 $\frac{4}{\pi}$ 与 $\sqrt{\varphi}$ 究竟是不是"完全等值"，我想尝试在**图 A. B. C.** 的各等式中代入 $\sqrt{\varphi}$，而非 $\frac{4}{\pi}$。按照**图 A. B. C.** 依次验证，最后是补充说明。

　　下面进入验证……。

图 A. 的等式的情况

在**图 A.** 中，用 A. c. 等式乘以 $\dfrac{4}{\pi}$，就得到 A. d. 等式。在此过程中用乘以 $\sqrt{\varphi}$ 来代替 $\dfrac{4}{\pi}$ 进行验证，然后对比这两个等式。

$$x\pi = \frac{4\sqrt{\varphi}}{x} \xrightarrow{\quad \times \frac{4}{\pi} \quad} 4 \times x = \frac{4\sqrt{\varphi}}{x} \times \frac{4}{\pi} \quad\cdots\cdots\cdots\cdots \alpha$$

（将 $\sqrt{\varphi}$ 代入并做乘法）

$$x\pi = \frac{4\sqrt{\varphi}}{x} \xrightarrow{\quad \times \sqrt{\varphi} \quad} \sqrt{\varphi}\pi \times x = \frac{4\sqrt{\varphi}}{x} \times \sqrt{\varphi} \quad\cdots\cdots\cdots \beta$$

※为便于对比两个等式，在不同之处加编号。

$$①(4) \times x = \frac{4\sqrt{\varphi}}{x} \times \left(\frac{4}{\pi}\right)②$$

$$③(\sqrt{\varphi}\pi) \times x = \frac{4\sqrt{\varphi}}{x} \times (\sqrt{\varphi})④$$

上下等式中的 x 与 $\dfrac{4\sqrt{\varphi}}{x}$ 相同，因此如果①与③、②与④"完全等值"，那么上下两个等式 α 与 β 就是恒等式。

作为参考，用 $\pi \approx 3.14$、$\varphi \approx 1.6180$ 重新计算①～④的估算值并列出该值。

① 4　② $\dfrac{4}{\pi} \approx 1.2738$　③ $\sqrt{\varphi}\,\pi \approx 3.9940$　④ $\sqrt{\varphi} \approx 1.2720$

观察估算值可知，①与③、②与④是极其近似值。因为已知 $\dfrac{4}{\pi}$ 与 $\sqrt{\varphi}$ 是极其近似值，所以这一结果理所当然。

下面要进行以下四项计算，来验证上下两个等式 α 与 β 是不是具有"完全等值"的恒等式。

※乘法计算时，请注意①～④编号不要弄错！

1．首先，如果①与③、②与④完全等值的话，那么①乘以④、②乘以③理应相等。我们来计算一下。

$$(4) \times (\sqrt{\varphi}) = (\frac{4}{\pi}) \times (\sqrt{\varphi}\,\pi) \rightarrow 4\sqrt{\varphi} = 4\sqrt{\varphi} \cdots 相等。$$

①　　　④　　　②　　　③

2．其次，如果①与③、②与④完全等值的话，那么将③代入①、①带入③，相互代入等式（即①与③互换）得到的计算结果应相同，两个结果理应同时成立。我们来计算一下。

$$\begin{array}{l} 将③代入① \quad (\sqrt{\varphi}\,\pi) \times x = \frac{4\sqrt{\varphi}}{x} \times \frac{4}{\pi} \rightarrow x^2 = \frac{16}{\pi^2} \rightarrow x = \frac{4}{\pi} \\ 将①代入③ \quad (4) \times x = \frac{4\sqrt{\varphi}}{x} \times \sqrt{\varphi} \rightarrow x^2 = \varphi \rightarrow x = \sqrt{\varphi} \end{array}$$

啊！得到的结果不一样？

下面我们用两种方法，确认代入结果得到的两个等式究竟是有所不同，还是数值完全相同的"相同的计算结果"？下面介绍第一种方法，请再看一遍**图A.**中的x。

x 是"正方形的边长"，其面积 x^2 为 $\frac{4\sqrt{\varphi}}{\pi}$。让这个公式和两个互换计算结果同时成立的方法是……

假设 $x=\frac{4}{\pi}=\sqrt{\varphi}$，则 $x=\sqrt{\varphi}$ 与 $x=\frac{4}{\pi}$ 可同时成立。

第二种方法是，x 为"正方形的边长"且同时为圆直径。利用这一点计算圆面积时，理应能得到相同结果。这是能通过计算确认 $\frac{4}{\pi}$ 与 $\sqrt{\varphi}$ 相等的最重要最核心的计算，请看下图。**图 A.** 中的圆面积为 $\sqrt{\varphi}$。

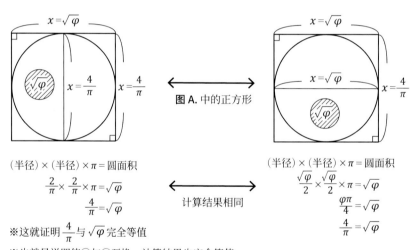

图 A. 中的正方形

计算结果相同

(半径)×(半径)×π＝圆面积
$$\frac{2}{\pi}\times\frac{2}{\pi}\times\pi=\sqrt{\varphi}$$
$$\frac{4}{\pi}=\sqrt{\varphi}$$

(半径)×(半径)×π＝圆面积
$$\frac{\sqrt{\varphi}}{2}\times\frac{\sqrt{\varphi}}{2}\times\pi=\sqrt{\varphi}$$
$$\frac{\varphi\pi}{4}=\sqrt{\varphi}$$
$$\frac{4}{\pi}=\sqrt{\varphi}$$

※这就证明 $\frac{4}{\pi}$ 与 $\sqrt{\varphi}$ 完全等值

※也就是说即使①与③互换，计算结果也完全等值

替换计算结果为 $\frac{4}{\pi}$ 和 $\sqrt{\varphi}$，无论将其中任何一个代入直径 x，计算结果都相同，使 $x=\sqrt{\varphi}$ 和 $x=\frac{4}{\pi}$ 同时成立。

$\therefore$ $x=\frac{4}{\pi}=\sqrt{\varphi}$ 成立。($\therefore$ 的含义是"所以")

3．第三项是采取与2.完全相同的方法，将②和④相互（也就是②与④互换）代入等式中。

$$\left[\begin{array}{l} \text{将④代入②} \quad 4 \times x = \dfrac{4\sqrt{\varphi}}{x} \times (\sqrt{\varphi}) \quad \rightarrow \quad x^2 = \varphi \quad \rightarrow \quad x = \sqrt{\varphi} \\ \text{将②代入④} \quad \sqrt{\varphi}\,\pi \times x = \dfrac{4\sqrt{\varphi}}{x} \times \left(\dfrac{4}{\pi}\right) \quad \rightarrow \quad x^2 = \dfrac{16}{\pi^2} \quad \rightarrow \quad x = \dfrac{4}{\pi} \end{array}\right.$$

结果完全相同。而且与 2. 的结果相比，可知（$\dfrac{4}{\pi}$）和（$\sqrt{\varphi}$）互换后，求得的 x 的值刚好也 $\dfrac{4}{\pi}$ 和 $\sqrt{\varphi}$ 互换。也就是说即使②与④互换，两个计算结果仍相同。

∴ 也就是说 $x = \sqrt{\varphi} = \dfrac{4}{\pi}$ ……。

在介绍第四种验证之前，有些读者可能会有这样一个疑问，根据**图 A. b.** 中的 $x^2 = \dfrac{4\sqrt{\varphi}}{\pi}$ ……

为什么不能从该等式中得到……$x = \dfrac{4}{\pi} = \sqrt{\varphi}$ 呢？

有这种想法的读者请看下面这张图（**例 1、例 2**）。

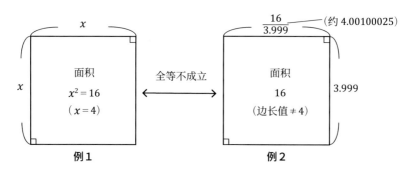

22

您是否理解图的意思？ 在**例 1** 的图中，边长为 4，面积为 16。

而在**例 2** 的图中，边长值稍稍偏离了 4，但面积值为 16，与**例 1** 的面积相同。看图可知 $x = 3.999 = \frac{16}{3.999}$ 不成立。

$x^2 = \frac{4\sqrt{\varphi}}{\pi}$ 只是用面积为 $\sqrt{\varphi}$ 的圆乘以 $\frac{4}{\pi}$ 而得出正方形面积（x^2）。也就是说在未得到 x 与 $\frac{4}{\pi}$ 与 $\sqrt{\varphi}$ 相等这一验证结果的阶段，不能得出 "$x = \frac{4}{\pi} = \sqrt{\varphi}$"。

只需根据 $x^2 = \frac{4\sqrt{\varphi}}{\pi}$ 这一等式就能计算的⋯⋯

只有 $x = (\frac{4\sqrt{\varphi}}{\pi})^{\frac{1}{2}}$ ⋯⋯ $\frac{4\sqrt{\varphi}}{\pi}$ 的平方根（$\sqrt{}$）。

出于这一理由，所以用兜圈子的方法进行验证。

下面回到第四种验证。

4．第四项计算不仅是我，这本书的广大读者都应当很容易就能够想到。与前面 1、2、3、的计算同样，如果①与③、②与④完全等值，那么①与②、③与④相乘的结果也理应相等。我们来计算一下。

$$
\underset{①}{(4)} \times \underset{②}{(\frac{4}{\pi})} = \underset{③}{(\sqrt{\varphi}\ \pi)} \times \underset{④}{(\sqrt{\varphi})} \to \frac{16}{\pi^2} = \varphi \to \frac{4}{\pi} = \sqrt{\varphi}
$$

结果与前面的验证相同。大家知道为什么要把这项计算放在最后吗？这项计算放在第一项计算的话，还不能知道 $\frac{4}{\pi}$ 与 $\sqrt{\varphi}$ "完全等值"。要有第二项和第三项验证之后才能成为有效验证。

接着我来对前面四项验证进行一下补充。如果 x 与 $\frac{4}{\pi}$ 与 $\sqrt{\varphi}$ 相等，那么应当可以推导出图 **A. B. C.** 的周长（正方形部分）中图 **A.** 的周长（$4x$）的 2 倍与图 **B. C.** 的周长（分别为 $\frac{16}{\pi}$ 和 $4\sqrt{\varphi}$）之和相等，能得出 $x=\sqrt{\varphi}=\frac{4}{\pi}$ 这一计算结果。

利用各图 d. 等式中便于计算的等式右侧来计算一下。

$$4x \times 2 = \frac{16}{\pi} + 4\sqrt{\varphi} \quad \left(\frac{32\sqrt{\varphi}}{x\pi} = \frac{4x^2}{\sqrt{\varphi}} + x^2\pi\right) \leftarrow \text{利用等式右侧}$$

将等式 B.a. $\dfrac{x^2}{\sqrt{\varphi}} = \dfrac{4}{\pi}$ 代入。

$$4x \times 2 = \frac{16}{\pi} + 4\sqrt{\varphi}$$

$$2x = \frac{4}{\pi} + \sqrt{\varphi}$$

$$2x = \left(\frac{x^2}{\sqrt{\varphi}}\right) + \sqrt{\varphi}$$

$$2\sqrt{\varphi}x = x^2 + \varphi$$

$$x^2 - 2\sqrt{\varphi}x + \varphi = 0$$

$$(x - \sqrt{\varphi})^2 = 0$$

$$x = \sqrt{\varphi}$$

从等式 B.a. 将 $\sqrt{\varphi} = \dfrac{\pi x^2}{4}$ 代入。

$$4x \times 2 = \frac{16}{\pi} + 4\sqrt{\varphi}$$

$$2x = \frac{4}{\pi} + \sqrt{\varphi}$$

$$2x = \frac{4}{\pi} + \left(\frac{\pi x^2}{4}\right)$$

$$\frac{8x}{\pi} = \frac{16}{\pi^2} + x^2$$

$$x^2 - \frac{8x}{\pi} + \frac{16}{\pi^2} = 0$$

$$\left(x - \frac{4}{\pi}\right)^2 = 0$$

$$x = \frac{4}{\pi}$$

与四项验证的结果相同，$x = \dfrac{4}{\pi} = \sqrt{\varphi}$ 成立。

再用另一种方法进行补充。利用**图 A.** 中的圆周长等式 A.c.　$x\pi = \dfrac{4\sqrt{\varphi}}{x}$。请看下面这张图和计算。可以看出，$\sqrt{\varphi}$ 和 $\dfrac{4}{\pi}$ 的关系就好比是"硬币的正反面"。

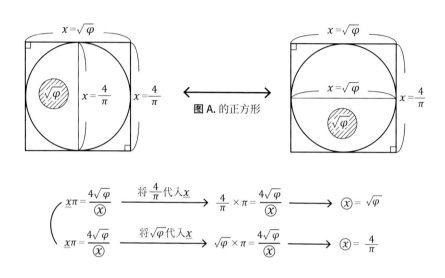

大家看懂计算的含义了吗？将 $\dfrac{4}{\pi}$ 或 $\sqrt{\varphi}$ 代入一边的 x，另一边的 $\textcircled{x}$ 与之相反地变为 $\sqrt{\varphi}$ 或 $\dfrac{4}{\pi}$。也就是说根据圆周长等式，也可以确认 x 同时等同于 $\dfrac{4}{\pi}$ 和 $\sqrt{\varphi}$。可得到与前面验证相同的结果。

∴　$x = \dfrac{4}{\pi} = \sqrt{\varphi}$　成立，可知两个等式 α 与 β 是具有"完全等值"的恒等式。

接着，用**图 B.** 来验证一下。

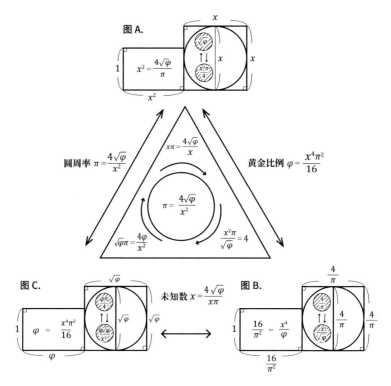

未知数 x 与黄金比例 φ 与圆周率 π 的关系图

$$x = \sqrt{\varphi} = \frac{4}{\pi}$$

图 A. $\equiv$ 图 B. $\equiv$ 图 C.

大家先随意观察一下上面这张图稍作休息吧！

脑筋还转的过来吗？

没有像斗牛犬般地紧皱眉头吧？

图 B. 的等式的情况

验证内容与**图 A.** 完全相同，说明都一样，故省略重复说明部分。

在**图 B.** 中，B. c. 等式乘以 $\dfrac{4}{\pi}$ 就得到 B. d. 等式。在此过程中我们用乘以 $\sqrt{\varphi}$ 来代替 $\dfrac{4}{\pi}$ 进行验证，再比较一下这两个等式。

$$\dfrac{x^2\pi}{\sqrt{\varphi}} = 4 \quad \xrightarrow{\times \dfrac{4}{\pi}} \quad \dfrac{4}{\sqrt{\varphi}} \times x^2 = 4 \times \dfrac{4}{\pi} \quad \cdots\cdots \alpha$$

（将 $\sqrt{\varphi}$ 代入并做乘法）

$$\dfrac{x^2\pi}{\sqrt{\varphi}} = 4 \quad \xrightarrow{\times \sqrt{\varphi}} \quad \pi \times x^2 = 4 \times \sqrt{\varphi} \quad \cdots\cdots \beta$$

※为便于对比两个等式，在不同之处加编号。

$$① \left(\dfrac{4}{\sqrt{\varphi}}\right) \times x^2 = 4 \times \left(\dfrac{4}{\pi}\right) ②$$

$$③ \left(\pi\right) \times x^2 = 4 \times \left(\sqrt{\varphi}\right) ④$$

上下等式中的 x^2 与 4 相同，因此如果①与③、②与④"完全等值"，那么上下两个等式 α 与 β 就是恒等式。

作为参考，用 $\pi \approx 3.14$、$\varphi \approx 1.6180$ 来计算一下①～④的估算值。

① $\dfrac{4}{\sqrt{\varphi}} \approx 3.1446$　② $\dfrac{4}{\pi} \approx 1.2738$　③ $\pi \approx 3.14$　④ $\sqrt{\varphi} \approx 1.2720$

看计算值可知，①与③、②与④是极其近似值。与**图 A.** 同样，我们要通过四项计算，来验证两个等式 α 与 β 是不是具有"完全等值"的恒等式。

1．首先，如果①与③、②与④是相同的值，那么①与④、②与③相乘的值理应相等。我们来计算一下。

$$\underset{①}{\left(\frac{4}{\sqrt{\varphi}}\right)} \times \underset{④}{\sqrt{\varphi}} = \underset{②}{\left(\frac{4}{\pi}\right)} \times \underset{③}{(\pi)} \rightarrow \quad 4 = 4 \cdots\cdots 相等。$$

2．第二项是如果①与③、②与④是相同的值，那么将③代入①或①代入③这样相互代入等式（也就是①与③互换）的计算结果理应相同。我们来计算一下。

$$
\begin{array}{ll}
将③代入① & (\pi) \times x^2 = 4 \times \frac{4}{\pi} \rightarrow x^2 = \frac{16}{\pi^2} \rightarrow x = \frac{4}{\pi} \\
将①代入③ & \left(\frac{4}{\sqrt{\varphi}}\right) \times x^2 = 4 \times \sqrt{\varphi} \rightarrow x^2 = \varphi \rightarrow x = \sqrt{\varphi}
\end{array}
$$

$$\therefore \quad x = \frac{4}{\pi} = \sqrt{\varphi} \cdots\cdots 得到结果与 \textbf{图 A.} 的相同。$$

3．第三项的内容与 2. 完全相同，将②与④相互代入等式（也就是②与④互换），我们来计算一下。

$$
\begin{array}{ll}
将④代入② & \frac{4}{\sqrt{\varphi}} \times x^2 = 4 \times (\sqrt{\varphi}) \rightarrow x^2 = \varphi \rightarrow x = \sqrt{\varphi} \\
将②代入④ & \pi \times x^2 = 4 \times \left(\frac{4}{\pi}\right) \rightarrow x^2 = \frac{16}{\pi^2} \rightarrow x = \frac{4}{\pi}
\end{array}
$$

$$\therefore \quad x = \sqrt{\varphi} = \frac{4}{\pi} \cdots\cdots 得到结果与 \textbf{图 A.} 相同。$$

4．第四项是如果①与③、②与④是相同的值，那么①与②、③与④相乘
的值理应相等。我们来计算一下。

$$\left(\dfrac{4}{\sqrt{\varphi}}\right) \times \left(\dfrac{4}{\pi}\right) = (\pi) \times (\sqrt{\varphi}) \;\rightarrow\; \dfrac{16}{\sqrt{\varphi}\pi} = \sqrt{\varphi}\pi \;\rightarrow\; \dfrac{4}{\pi} = \sqrt{\varphi}$$

得到的结果与**图 A.** 相同。

接着，我们按照完全相同的内容，对**图 C.** 也进行验证。

图 C. 的等式的情况

验证内容与**图 A.B.** 完全相同，说明都一样，故省略重复说明部分。

在**图 C.** 中，C.c. 等式乘以 $\dfrac{4}{\pi}$ 就等到 C.d. 等式。在此过程中我们用乘
以 $\sqrt{\varphi}$ 来代替 $\dfrac{4}{\pi}$ 进行验证，再比较一下这两个等式。

$$\sqrt{\varphi}\pi = \dfrac{4\varphi}{x^2} \quad\xrightarrow{\times \frac{4}{\pi}}\quad 4 \times \sqrt{\varphi} = \dfrac{4\varphi}{x^2} \times \dfrac{4}{\pi} \quad\cdots\cdots\cdots\cdots \alpha$$

（将 $\sqrt{\varphi}$ 代入并做乘法）

$$\sqrt{\varphi}\pi = \dfrac{4\varphi}{x^2} \quad\xrightarrow{\times \sqrt{\varphi}}\quad \sqrt{\varphi}\pi \times \sqrt{\varphi} = \dfrac{4\varphi}{x^2} \times \sqrt{\varphi} \quad\cdots\cdots\cdots \beta$$

※为便于对比两个等式，在不同之处加编号。

$$①(4) \times \sqrt{\varphi} = \dfrac{4\varphi}{x^2} \times \left(\dfrac{4}{\pi}\right)②$$

$$③(\sqrt{\varphi}\pi) \times \sqrt{\varphi} = \dfrac{4\varphi}{x^2} \times (\sqrt{\varphi})④$$

上下等式中的 $\sqrt{\varphi}$ 与 $\dfrac{4\varphi}{x^2}$ 相同，
因此如果①与③、②与④"完全等值"，
那么上下两个等式 α 与 β 就是恒等式。

作为参考，用 $\pi \approx 3.14$、$\varphi \approx 1.6180$ 来计算一下①～④的估算值。

① 4　② $\dfrac{4}{\pi} \approx 1.2738$　③ $\sqrt{\varphi}\,\pi \approx 3.9940$　④ $\sqrt{\varphi} \approx 1.2720$

看计算值可知，①与③、②与④是极其近似值。下面同**图 A. B.** 一样要进行四项计算，来验证两个等式 α 与 β 是不是具有"完全等值"的恒等式。

1．首先，如果①与③、②与④是相同的值，那么①与④、②与③相乘的值理应相等。我们来计算一下。

$$(4) \times (\sqrt{\varphi}) = \left(\dfrac{4}{\pi}\right) \times (\sqrt{\varphi}\,\pi) \rightarrow 4\sqrt{\varphi} = 4\sqrt{\varphi} \cdots \text{相等。}$$
　　①　　　④　　　　②　　　　③

2．第二项是如果①与③、②与④是相同的值，那么将③代入①或①代入③这样相互代入等式（也就是①与③互换）的计算结果理应相同。我们来计算一下。

$$\begin{array}{l} \text{将③代入①} \quad (\sqrt{\varphi}\,\pi) \times \sqrt{\varphi} = \dfrac{4\varphi}{x^2} \times \dfrac{4}{\pi} \rightarrow x^2 = \dfrac{16}{\pi^2} \quad \rightarrow \quad x = \dfrac{4}{\pi} \\ \text{将①代入③} \quad (4) \times \sqrt{\varphi} = \dfrac{4\varphi}{x^2} \times \sqrt{\varphi} \quad \rightarrow \quad x^2 = \varphi \quad \rightarrow \quad x = \sqrt{\varphi} \end{array}$$

$$\therefore x = \dfrac{4}{\pi} = \sqrt{\varphi} \cdots\cdots \text{得到的结果与}\textbf{图 A. B.} \text{相同。}$$

3．第三项的内容与 2. 完全相同，将②与④相互代入等式（也就是②与④互换），我们来计算一下。

$$
\begin{cases}
\text{将④代入②} & 4\times\sqrt{\varphi}=\dfrac{4\varphi}{x^2}\times\left(\sqrt{\varphi}\right) \ \rightarrow \ x^2=\varphi \ \rightarrow \ x=\sqrt{\varphi} \\[3mm]
\text{将②代入④} & \sqrt{\varphi}\ \pi\times\sqrt{\varphi}=\dfrac{4\varphi}{x^2}\times\left(\dfrac{4}{\pi}\right) \ \rightarrow \ x^2=\dfrac{16}{\pi^2} \ \rightarrow \ x=\dfrac{4}{\pi}
\end{cases}
$$

$\therefore \ x=\sqrt{\varphi}=\dfrac{4}{\pi}$ …… 得到结果与**图 A. B.** 相同。

4．第四项是如果①与③、②与④是相同的值，那么①与②、③与④相乘的值理应相等。我们来计算一下。

$$
(4)\times\left(\dfrac{4}{\pi}\right)=\left(\sqrt{\varphi}\ \pi\right)\times\left(\sqrt{\varphi}\right) \ \rightarrow \ \dfrac{16}{\pi}=\varphi\pi \ \rightarrow \ \dfrac{4}{\pi}=\sqrt{\varphi}
$$

得到的结果与**图 A. B.** 相同。

前面我们对**图 A. B. C.** 的 c.（圆周长等式）乘以 $\dfrac{4}{\pi}$ 所得的 d. 等式与乘以 $\sqrt{\varphi}$ 的等式进行了比较，验证结果显示这两个等式 α 和 β 是具有"完全等值"的恒等式。这同时也显示了 $\sqrt{\varphi}$ 与 $\dfrac{4}{\pi}$ 是"完全等值"。

第4章 | 确认 $\pi = \dfrac{4}{\sqrt{\varphi}}$

想必大多数读者们在前面的计算过程中，早已注意到了一点。

$x = \dfrac{4}{\pi} = \sqrt{\varphi}$ …… 也就是说 $\pi = \dfrac{4}{\sqrt{\varphi}}$（就是这本书的标题）

$\pi = \dfrac{4}{\sqrt{\varphi}}$　　　　**多么美妙的公式啊！**

验证得到的结果是不是同时适用**图 A. B. C.** 这三张图而不止其中某一张呢？我们来确认一下。这样就能证明第 17 页中的"偶然"其实是"必然"。本章将展示图中隐藏的 $\dfrac{4}{\pi}$ 的特殊性质，确认 $\sqrt{\varphi}$ 与 $\dfrac{4}{\pi}$ 相等。虽然可以确认全部等式，但是最好的办法是将 $\dfrac{4}{\pi}$ 和 $\sqrt{\varphi}$ 代入各图的 c. 等式（圆周长）的 x 中。可知代入后的公式是"非常美妙的结果"。我希望喜欢数学的人一定要亲自动手验证一遍计算是否正确。

图 A. c. 等式　$x\pi = \dfrac{4\sqrt{\varphi}}{x}$　$\left\{ \begin{array}{l} 将\dfrac{4}{\pi}代入　\dfrac{4\pi}{\pi} = \dfrac{4\sqrt{\varphi}\pi}{4}　\rightarrow　\sqrt{\varphi}\,\pi = 4 \\[2mm] 将\sqrt{\varphi}代入　\sqrt{\varphi}\,\pi = \dfrac{4\sqrt{\varphi}}{\sqrt{\varphi}}　\rightarrow　\sqrt{\varphi}\,\pi = 4 \end{array} \right.$

图 B. c. 等式　$\dfrac{x^2\pi}{\sqrt{\varphi}} = 4$　$\left\{ \begin{array}{l} 将\dfrac{4}{\pi}代入　\dfrac{16\pi}{\pi^2\sqrt{\varphi}} = 4　\rightarrow　\sqrt{\varphi}\,\pi = 4 \\[2mm] 将\sqrt{\varphi}代入　\dfrac{\varphi\pi}{\sqrt{\varphi}} = 4　\rightarrow　\sqrt{\varphi}\,\pi = 4 \end{array} \right.$

图 C. c. 等式　$\sqrt{\varphi}\,\pi = \dfrac{4\varphi}{x^2}$　$\left\{ \begin{array}{l} 将\dfrac{4}{\pi}代入　\sqrt{\varphi}\,\pi = \dfrac{4\varphi\pi^2}{16}　\rightarrow　\sqrt{\varphi}\,\pi = 4 \\[2mm] 将\sqrt{\varphi}代入　\sqrt{\varphi}\,\pi = \dfrac{4\varphi}{\varphi}　\rightarrow　\sqrt{\varphi}\,\pi = 4 \end{array} \right.$

计算结果全部相同。大家知道发生了什么事吗？可以确认分别作图而成的**图 A. B. C.** 的圆周长值都是 4，实际上全部都是"全等图形"。

值得注意的是，使用左右分别存在 x 的 A. c. 等式进行以下计算。可参考第 25 页的说明。

A. c. 等式　$x\pi = \dfrac{4\sqrt{\varphi}}{x}$　$\left\{ \begin{array}{l} 左侧代入\sqrt{\varphi}，右侧代入\dfrac{4}{\pi}\cdots\cdots\sqrt{\varphi}\,\pi = \sqrt{\varphi}\,\pi \\[2mm] 左侧代入\dfrac{4}{\pi}，右侧代入\sqrt{\varphi}\cdots\cdots\quad 4 = 4 \end{array} \right.$

$\sqrt{\varphi}\,\pi$ 与 4 相等，因此将 $\dfrac{4}{\pi}$ 和 $\sqrt{\varphi}$ 分别代入左右的 x 都会得到相同结果，可以确认 $\dfrac{4}{\pi}$ 与 $\sqrt{\varphi}$ 完全等值。

啊！想要确认全部等式 ?!

那么我将在下一页中列出代入全部等式中所得的结果。

	$\sqrt{\varphi}$ 的代入结果	$\dfrac{4}{\pi}$ 的代入结果	π 的计算结果
A.a. 等式（圆面积）	$\sqrt{\varphi}=\dfrac{4}{\pi}$	$\sqrt{\varphi}=\dfrac{4}{\pi}$	$\pi=\dfrac{4}{\sqrt{\varphi}}$
A.b. 等式（正方形和长方形面积）	$\varphi=\dfrac{4\sqrt{\varphi}}{\pi}$（$\dfrac{4\sqrt{\varphi}}{\pi}=\dfrac{16}{\pi^2}$）	$\dfrac{16}{\pi^2}=\dfrac{4\sqrt{\varphi}}{\pi}$（$\dfrac{16}{\pi^2}=\varphi$）	$\pi=\dfrac{4}{\sqrt{\varphi}}$
A.c. 等式（圆周长）	$\sqrt{\varphi}\,\pi=4$	$\sqrt{\varphi}\,\pi=4$	$\pi=\dfrac{4}{\sqrt{\varphi}}$
A.d. 等式（正方形周长）	$\dfrac{16}{\pi}=4\sqrt{\varphi}$	$\dfrac{16}{\pi}=4\sqrt{\varphi}$	$\pi=\dfrac{4}{\sqrt{\varphi}}$
B.a. 等式（圆面积）	$\sqrt{\varphi}=\dfrac{4}{\pi}$	$\sqrt{\varphi}=\dfrac{4}{\pi}$	$\pi=\dfrac{4}{\sqrt{\varphi}}$
B.b. 等式（正方形和长方形面积）	$\varphi=\dfrac{16}{\pi^2}$	$\varphi=\dfrac{16}{\pi^2}$	$\pi=\dfrac{4}{\sqrt{\varphi}}$
B.c. 等式（圆周长）	$\sqrt{\varphi}\,\pi=4$	$\sqrt{\varphi}\,\pi=4$	$\pi=\dfrac{4}{\sqrt{\varphi}}$
B.d. 等式（正方形周长）	$\dfrac{16}{\pi}=4\sqrt{\varphi}$	$\dfrac{16}{\pi}=4\sqrt{\varphi}$	$\pi=\dfrac{4}{\sqrt{\varphi}}$
C.a. 等式（圆面积）	$\sqrt{\varphi}=\dfrac{4}{\pi}$	$\sqrt{\varphi}=\dfrac{4}{\pi}$	$\pi=\dfrac{4}{\sqrt{\varphi}}$
C.b. 等式（正方形和长方形面积）	$\varphi=\dfrac{16}{\pi^2}$	$\varphi=\dfrac{16}{\pi^2}$	$\pi=\dfrac{4}{\sqrt{\varphi}}$
C.c. 等式（圆周长）	$\sqrt{\varphi}\,\pi=4$	$\sqrt{\varphi}\,\pi=4$	$\pi=\dfrac{4}{\sqrt{\varphi}}$
C.d. 等式（正方形周长）	$\varphi\pi=\dfrac{16}{\pi}=4\sqrt{\varphi}$	$\dfrac{16}{\pi}=4\sqrt{\varphi}$	$\pi=\dfrac{4}{\sqrt{\varphi}}$

为便于比较代入的计算结果，相同公式统一放在等式的右边或左边。

从所有等式可知**图 A. B. C.** 全等，可得出计算结果其等式为 $\pi=\dfrac{4}{\sqrt{\varphi}}$。

继续第 11 页说到一半的"第三个理由"见下页的表。可确认 $\dfrac{4}{\pi}$ 极为特殊的性质。

表中值得关注之处是 $\dfrac{4}{\pi}$ 的波浪线部分。

简图	直径	圆周长	圆面积	正方形面积	四个角的面积	小长方形面积
	$\dfrac{7}{\pi}$	7	$\dfrac{49}{4\pi}$	$\dfrac{49}{\pi^2}$	$\dfrac{49}{\pi^2} - \dfrac{49}{4\pi}$	$\dfrac{49}{\pi^2} - \dfrac{7}{\pi}$
	$\dfrac{6}{\pi}$	6	$\dfrac{9}{\pi}$	$\dfrac{36}{\pi^2}$	$\dfrac{36}{\pi^2} - \dfrac{9}{\pi}$	$\dfrac{36}{\pi^2} - \dfrac{6}{\pi}$
	$\dfrac{5}{\pi}$	5	$\dfrac{25}{4\pi}$	$\dfrac{25}{\pi^2}$	$\dfrac{25}{\pi^2} - \dfrac{25}{4\pi}$	$\dfrac{25}{\pi^2} - \dfrac{5}{\pi}$
	$\dfrac{4}{\pi}$	4	$\dfrac{4}{\pi}$	$\dfrac{16}{\pi^2}$	$\dfrac{16}{\pi^2} - \dfrac{4}{\pi}$	$\dfrac{16}{\pi^2} - \dfrac{4}{\pi}$
	1	π	$\dfrac{\pi}{4}$	1	$1 - \dfrac{\pi}{4}$	0
	$\dfrac{3}{\pi}$	3	$\dfrac{9}{4\pi}$	$\dfrac{9}{\pi^2}$	$\dfrac{9}{\pi^2} - \dfrac{9}{4\pi}$	$\dfrac{9}{\pi^2} - \dfrac{27}{\pi^3}$
	$\dfrac{2}{\pi}$	2	$\dfrac{1}{\pi}$	$\dfrac{4}{\pi^2}$	$\dfrac{4}{\pi^2} - \dfrac{1}{\pi}$	$\dfrac{4}{\pi^2} - \dfrac{8}{\pi^3}$
	$\dfrac{1}{\pi}$	1	$\dfrac{1}{4\pi}$	$\dfrac{1}{\pi^2}$	$\dfrac{1}{\pi^2} - \dfrac{1}{4\pi}$	$\dfrac{1}{\pi^2} - \dfrac{1}{\pi^3}$

＊图的比例不精确。

＊当直径不是 $\dfrac{4}{\pi}$ 时，"直径与圆面积"且"四个角的面积与小长方形面积"不相等。
希望大家关注这一点。
（仅限如图所示的长方形的宽为 1 的情况）

直径和圆面积都是 $\frac{4}{\pi}$，此外如表所示，四个角的面积与小长方形的面积相等。在以其他数值为直径的图里看不到这一性质。

这一特殊性质是推测 $\frac{4}{\pi}$ 与 $\sqrt{\varphi}$ "完全等值" 的一大理由。（※注意点是仅限如图所示的长方形的宽为 1 的情况。）

为确认这一点，请看下面的两张图。

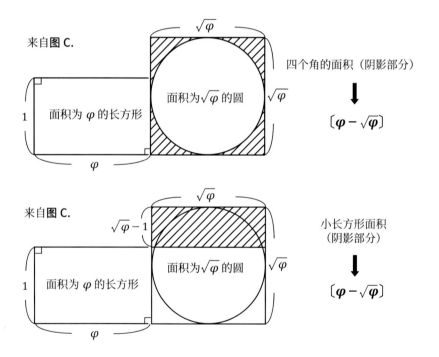

来自**图 C.**

$\sqrt{\varphi}$

面积为 φ 的长方形

面积为 $\sqrt{\varphi}$ 的圆

$\sqrt{\varphi}$

1

φ

四个角的面积（阴影部分）

↓

$\left[\varphi - \sqrt{\varphi}\right]$

来自**图 C.**

$\sqrt{\varphi}$

$\sqrt{\varphi} - 1$

面积为 φ 的长方形

面积为 $\sqrt{\varphi}$ 的圆

$\sqrt{\varphi}$

1

φ

小长方形面积
（阴影部分）

↓

$\left[\varphi - \sqrt{\varphi}\right]$

通过前面的验证，可知**图 C.** 中的圆面积为 $\sqrt{\varphi}$。此外从图中可知，两块阴影部分的面积值都是 $(\varphi - \sqrt{\varphi})$。与 $\dfrac{4}{\pi}$ 时的情况完全相同，直径与圆面积的值相等，四个角的面积与小长方形的面积相等，$\sqrt{\varphi}$ 满足 $\dfrac{4}{\pi}$ 绝无仅有的特殊性质。

说到这里，您知道在第 13 页的"第二个理由"中为什么假设圆面积为 $\sqrt{\varphi}$ 了吗？当时要证明 x 为 $\sqrt{\varphi}$，就是为了证明 $\dfrac{4}{\pi}$ 与 $\sqrt{\varphi}$ 相等。这下该知道我前面说"请各位初中生不要翻书找答案！"的理由了吧。

感谢您阅读此书……

啊！我还不想到此结束！

后面要写的内容才是这本书的真正目的。很多人（包括写了这本书的我本人，也包括阅读这本书的各位读者）可能以前从来没有思考过这个问题，但是我正为了引出这一大问题，才写了这本书。

在第 4 章的最后，我要列出四张重要的关系图。

具有黄金比例的三角形与各图的关系图 I

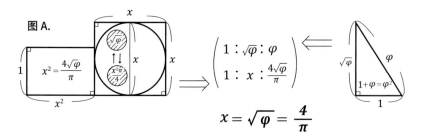

$$x = \sqrt{\varphi} = \frac{4}{\pi}$$

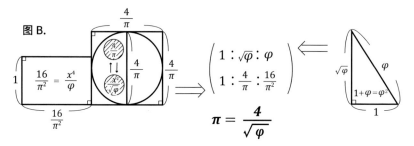

$$\pi = \frac{4}{\sqrt{\varphi}}$$

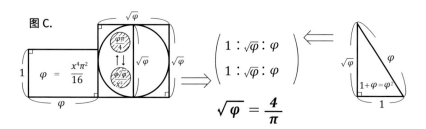

$$\sqrt{\varphi} = \frac{4}{\pi}$$

$$x = \sqrt{\varphi} = \frac{4}{\pi}$$

注释
〔：〕该数学符号
在日本是指比例

图 A. ≡ 图 B. ≡ 图 C.

具有黄金比例的三角形与各图的关系图 II

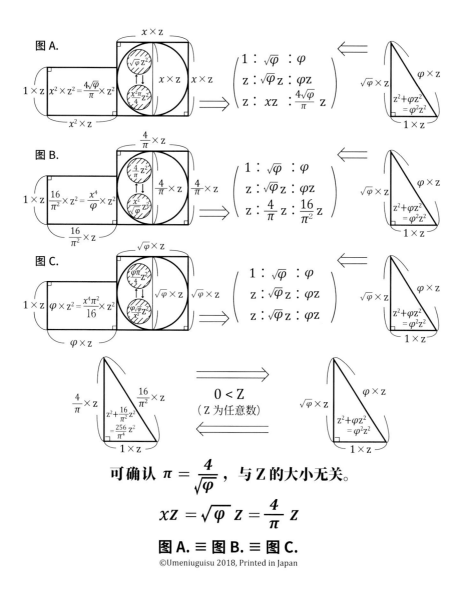

可确认 $\pi = \dfrac{4}{\sqrt{\varphi}}$ ，与 Z 的大小无关。

$$xZ = \sqrt{\varphi}\, Z = \dfrac{4}{\pi} Z$$

图 A. ≡ 图 B. ≡ 图 C.

具有黄金比例的三角形与各图的关系图Ⅲ

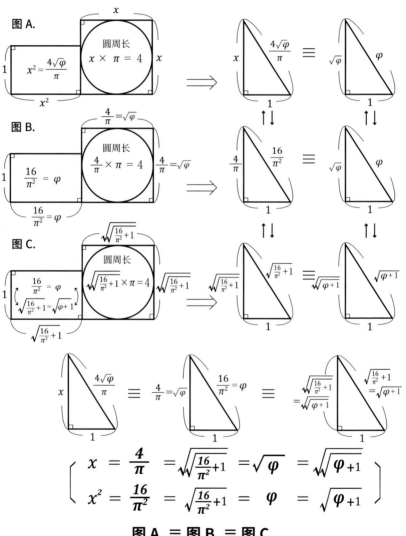

$$\left\{ \begin{array}{l} x = \dfrac{4}{\pi} = \sqrt{\dfrac{16}{\pi^2}+1} = \sqrt{\varphi} = \sqrt{\varphi+1} \\[2mm] x^2 = \dfrac{16}{\pi^2} = \sqrt{\dfrac{16}{\pi^2}+1} = \varphi = \sqrt{\varphi+1} \end{array} \right\}$$

图 A. ≡ 图 B. ≡ 图 C.

图中 π 与 φ 的关联值

来自图 A．B．C．

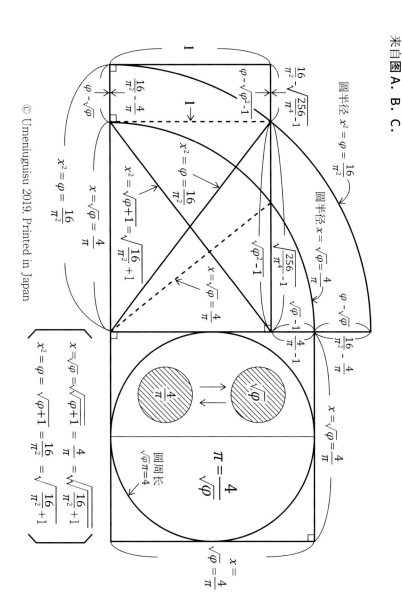

圆半径 $x^2 = \varphi = \dfrac{16}{\pi^2}$

圆半径 $x = \sqrt{\varphi} = \dfrac{4}{\pi}$

$x^2 = \varphi = \dfrac{16}{\pi^2}$

$x^2 = \varphi = \dfrac{16}{\pi^2}$

$x^2 = \varphi = \sqrt{\dfrac{16}{\pi^2}+1}$

$x = \sqrt{\varphi} = \dfrac{4}{\pi}$

$x = \sqrt{\varphi} = \dfrac{4}{\pi}$

$\dfrac{16}{\pi^2} - \sqrt{\dfrac{256}{\pi^4} - 1}$

$\varphi - \sqrt{\varphi^2 - 1}$

$\varphi - \sqrt{\varphi^2 - 1}$

$\sqrt{\varphi^2 - 1}$

$\sqrt{\dfrac{256}{\pi^4} - 1}$

$\sqrt{\varphi} - 1$

$\dfrac{4}{\pi} - 1$

$\varphi - \sqrt{\varphi}$

$\dfrac{16}{\pi^2} - \dfrac{4}{\pi}$

$x = \sqrt{\varphi} = \dfrac{4}{\pi}$

$x = \sqrt{\varphi} = \dfrac{4}{\pi}$

$\dfrac{4}{\pi}$

$\sqrt{\varphi}$

$\pi = \dfrac{4}{\sqrt{\varphi}}$

圆周长 $\sqrt{\varphi}\pi = 4$

$\begin{aligned} x &= \sqrt{\varphi} = \sqrt{\sqrt{\varphi}+1} = \dfrac{4}{\pi} \\ x^2 &= \varphi = \sqrt{\varphi+1} = \dfrac{16}{\pi^2} = \sqrt{\dfrac{16}{\pi^2}+1} \end{aligned}$

结语

对于"初中生数学水平都能看懂的 π 计算新方法的提案",大家觉得怎么样?下面我有问题想问这本书的广大读者。

这本书的题目是……

啊!! $\pi = \dfrac{4}{\sqrt{\varphi}}$ 这是真的 ?!

您知道其中"真的意思"吗?想必数学家或精通数学知识之人早就注意到了,但也许有人还没有注意到,所以我列出下面的值。

现在使用的 π 值 $\pi = 3.14159265358……$

这本书里验证的 π 值 $\pi = 3.14460551102……$

知道发生了什么吗?……

在我的印象里,现在全世界使用的 π 值在 2016 年已经计算到了约 20 兆位。大概是用"超级计算机"计算的。我从家居中心买到的 680 日元(未含税)的"超级计算机"最多只能显示 12 位。但是无论能算到多少位,π 的正确值应该只有唯一。

大家对这两个值的差异怎么看？

这个问题我也问过我自己。对此我自己的回答就是写这本书。

最后我再说一遍，我既不是数学家也不是科学家，甚至不是企业里技术人员，我只是一介手工匠而已。$\pi = \dfrac{4}{\sqrt{\varphi}}$ 的真假有待数学家或精通数学知识之人来辨别，但像我这样数学知识贫乏的人也有简单的办法来辨别真假。

这就是……

"试着实际测量一下"！

这样就无所谓数学专家还是外行，只要精确测量即可。我想对实测的结果任何人都无从反驳。各位初中生或高中生们不妨试着在体育馆里画一个直径为 10m 的圆（极精确地），然后实际测量一下圆的周长。或者也不妨在宽阔的操场上画直径 50m、100m 的圆，然后实际测量一下圆的周长。

直径 10m 的圆
- 实测值为 31m41.5 cm → 与现在使用的 π 值相等
- 实测值为 31m44.6 cm → 与 $\dfrac{4}{\sqrt{\varphi}}$ 的 π 值相等

我想通过这样的实测就能证明清楚。

普通人在平常生活里，直径 10m 的圆周长有 3.1cm 左右的误差不会有任何影响。但是请大家将眼光投向太空。

如果人工卫星在距离地面 300km 的上空绕地球一周，则飞行距离（地球直径按约 1 万 2700km 计）的计算误差将高达约 39km。（39km 居然能说是误差！）进而，当地球上的人们终于要建造大型宇宙飞船飞出太阳系时，我们居住的银河系的直径推测是 10 万光年，宇宙飞船绕银河一周的误差将有约 310 光年。以光速（1 秒可绕地球 7 圈半）运动将相差 310 年，这已经不能用"误差"一词来搪塞过去了。

对这本书心存疑问者、或者相反抱有兴趣者、好奇心旺盛的初中或高中生们，不妨来"实测"辨别一下如何？如果直径 10m 的圆周长实测值为 31m41.5cm，那么就能轻松证明这本书的内容是错的。

啊！问我干嘛不去实测？

我从幼儿园起就不擅长转圈，没等到转完一圈我就会转晕倒地（笑）。因此，我在恭候有人能告诉我真假。

2017 年 9 月 27 日

Umeniuguisu

啊!! $\pi = 4\sqrt{\sqrt{\varphi}} = 3.1446\cdots$ 这是真的?! 〔修订版〕

作　者　　Umeniuguisu
日语翻译　株式会社GLOVA
发行方　　BOOKWAY
　　　　邮编670-0933　姫路市平野町62
　　　　TEL.079 (222) 5372　FAX.079 (244) 1482
　　　　https://bookway.jp
印刷厂　　小野高速印刷株式会社
©Umeniuguisu 2020, Printed in Japan
ISBN978-4-86584-451-1